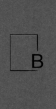

B

B

당신의 교육철학을
한 권의 책에 담아 드립니다

비사이드 북스

X

교육실천이음연구소

교사행위자성에 관한 개인적 탐색

밀키웨이

차례

글쓴이

내 삶의 의미를
만들어가고
|
밀키웨이

내 삶의 의미를 만들어가고 싶은 사람. 나의 길이 어떠한 길인지 손 끝으로 더듬거리며 찾아가고자 한다.

B

저자인 나와, 독자인 나는 시간을 두고 조금씩 달라집니다. 온전한 나를 소개하는 문장을 찾을 때까지 나에 대한 소개는 수시로 다시 쓰여져야 합니다. 그 부지런한 이해로 당신은 더욱 당신다워질 겁니다.

글쓴이

나를 이루어 온 경험은
무엇인가요?

성장과정과 학생 시절의 경험, 특히
교직을 택한 경험을 되돌아봅니다.
자신이 의미를 두는 경험에서 얻은
성찰과 역량을 발견합니다.

그리고 그것이 어떻게 어우러져
지금의 나를 형성해왔는지
인식합니다.

나의 아이가 나를 키우고 있다

대화한 날_ 2023. 10. 11.

완성한 날_ 2023. 12. 3.

나의 아이가 나를 키우고 있다

불안한 성장기

나의 유년 시절은 늘 불안했다. 불안의 시작은 아버지였
다. 우리 아버지는 내가 어릴 적에 돌아가셨다. 어린 아이
가 뭘 알겠냐며 대화를 나누던 친척들의 입을 통해 알았
다. 내가 8살 때이니, 그때의 어머니는 32살. 지금의 나보
다 어린 나이였다. 사건 후, 어머니는 배우자에 대한 원망

과 한탄의 말씀을 많이 하셨다. 당연하다. 아버지의 죽음은 가정 경제의 불안과 붕괴를 가져왔으니까. 그뿐이랴. 그 시절에 여자 혼자 아이를 키운다는 것은 녹록치 않은 환경이었다. 갑작스럽게 가장이 된 어머니는 길고 긴 방황을 시작하셨다. 방황일까 생존기일까. 보호자의 방황에 아이는 늘 휘둘리기 마련이다. 어렸던 난 엄마의 불안에 휘둘리는 것이 버거웠다. 생존에 대한 불안을 견디기 힘들었다. 세상으로부터 도망치고 싶었다. 어른들이 만든 그 불안전한 세상을 혐오하고 증오했다.

　　　　뒤돌아 생각해보면 나 역시 우울증을 앓고 있었던 것 같다. 1인 영화관의 한 관객인 느낌으로 세상을 바라보기 시작했다. 이해못할 상황이 펼쳐져도 괜찮다. 그것은 영화일 뿐이고 난 한 명의 관객으로써 조망하고 감상하면 되었다. 나는 모든 상황에서 관찰자로 한 발자국 떨어져서 관망하였다. 이 사실을 엄마는 모르셨고, 적극적으로 상황을 해결하지 않는 나를 많이 닦달하셨다. 그러면서 항상 "넌 참 특이한 년이야."라고 쏘아 붙이셨다. 아주

오랜 시간 동안 나는 내가 특이한 년인줄 알았다. 나를 이해하지 못하는 엄마가 원망스러웠다. 이해하려고 노력조차 하지 않는 엄마가 원망스러웠다. 엄마가 만든 판에서 나는 아무것도 할 수 없다는 것이 원망스러웠다.

또 다른 독립, 출산

출산을 하고 나서야 지리멸렬한 불안으로부터 해방되었다. 나의 아이를 손에 안고 나서야 내 마음에 평화가 왔다. 이토록 불안정한 나인데 아이는 날 있는 그대로 사랑해준다. 나의 부모로부터도 받지 못한 사랑이었다. 내가 뭐라고 나를 세상에서 제일 예쁜 사람이라고 말한다. 내가 뭐라고 세상에서 제일 사랑한다고 노래를 부른다. 내가 뭐라고 매일 사랑한다고 편지를 써준다. 예상하지 못한 경험이었다. 세상의 파편일 뿐이라고 생각했던 내가 누군가의 세상이 되어버렸다. 더 이상 세상을 혐오했던 아이로 있을 수 없었다. 나는 내 아이를 지켜야 할 어른이 되어야 했다. 그렇게 나는 비로소 내 삶의 주체가 되었다. 더 이상 떠밀려 사는 삶이 아니라 치열하게 고민하고 결정하는 삶을 살아야 했다. 왜냐하면 내 삶이 내 아이의 세계가 된다는 것을 깨달았기 때문이다. 그리고 당연하게도 내 아이에게는 나보다 더 나은 삶을 물려주고 싶다.

아이러니하게도 나의 아이 또한 나와 같이 불안도가 높은 아이였다. 엄마가 되어 어린 시절의 나를 새로 키우듯이 육아를 하고 있다. 어떠한 삶을 내 아이에게 가르쳐줄 것인가. 냉혹한 현실 세계에서 너는 더 영리하게 굴어야 한다고 채찍질을 할 것인가. 나는 그 채찍질로부터 무언가를 배웠던가. 아니다. 나는 내 아이에게 다정한 희망을 알려주고 싶다. 과거의 내가 세상으로부터 바란 것은 사실 그런 작은 위로가 아니였을까. 언젠가 이상 시인의 한 구절을 인상 깊게 읽은 적이 있다. 여동생에게 보내는 편지의 한 구절이다.

> "용서없는 세상에서 나만은 네 편임을 잊지 말아라"

나의 아이가 나를 키우고 있다

아이가 나의 따뜻한 격려로 자신감을 가지고 앞을 향해 나아가기를 바란다. 이렇게 아이를 낳고 엄마가 되고 나서야 비로소 나의 엄마로부터 독립했다.

교육관의 변화

내 아이는 내가 세상을 바라보는 관점을 바꾸어 놓았다. 이전에는 학생들에게 세상이 얼마나 어렵고 무섭고 불안한 곳인지를 강조하였다. 열심히 공부하지 않으면 생존 기술을 얻지 못하고 행복하지 못할 것이라고 말했다. 그러면 학생들은 두려움과 부담감에 압도되어서 그렇게라도 배울 것이라고 생각했기 때문이다. 하지만 아이가 태어나고 나서, 세상을 다르게 바라보게 되었다. 아이는 자라면서 세상에 대해 궁금해하고, 새로운 것을 배우고, 자신의 희망을 표현하였다. 동물을 좋아하는 아이의 강한 바람으로 에버랜드의 '동물사랑단'에 1년 동안 참석한 적이 있다. 그 시간과 돈을 들여 내가 보고 싶었던 것은 동물에 대한 '지식'이 아니라 동물을 가까이 보면서 기뻐하는 아이의 '미소'였다. 미소짓는 아이의 모습이 얼마나 사랑스러운지. 아이에게 세상이 얼마나 아름답고 흥미롭고 기회가 많은 곳 인지를 알려주고 싶다. 그리고 아이가 좋아하는 것을 하면서 행복하게 살 수 있도록 응원하고 싶다. 내 학급의 아이들도 누군가의 사랑과 헌신을 먹으면서 그렇게 커왔겠지. 반대의 경우에도 마찬가지다. 부모의 사랑과 헌신을 받지 못한 아이들은 그렇게 불쌍할 수가 없었다. 그렇게 타인의 인생을 진심으로 이해하고 응원하게 되었다.

　　　내 아이를 키우며 배운 부모의 사랑과 헌신은 나에게 교육에 대한 새로운 관점을 제공했다. 다양한 배경을 가진 학생들에게 관심과 이해를 가지며, 그들이 더 나은 미래를 향해 나아갈 수 있도록 돕고 싶다. 이제 나는 엄마로서와 교사로서 두 가지 역할을 함께 수행하면서 더 나은 나로 성장하고 있다. 나의 아이가 나에게 주는 희망과 사랑은 나를 계속해서 변화시키고, 나 자신을 더 나은 교사로 발전시키는 원동력이 되고 있다.

　　　나의 아이가 나를 키우고 있다

"세상의 파편일 뿐이라고
 생각했던 내가
 누군가의 세상이 되어버렸다.
 더 이상 세상을 혐오했던 아이로
 있을 수 없었다.
 나는 내 아이를 지켜야 할
 어른이 되어야 했다."

당신은 이 글의 저자인 동시에 독자입니다. 저자인 나와 독자인 나는 만날 때마다 새로운 이야기를 만들어 갑니다. 지금 이 글을 읽는 당신의 생각을 여기에 더해보세요. 그것은 내 손을 떠난 글에 새로운 생명과 생기를 불어넣는 일입니다.

나의 아이가 나를 키우고 있다

나의 아이가 나를 키우고 있다

나는 교사로서 어떤
이야기를 만들어 왔나요?

과거의 생애로 형성된 가치관이
교직에 들어선 후 수업, 학생,
학부모, 학급, 동료교사 혹은
교사공동체에 어떤 영향을 주어
왔는지 되돌아봅니다.
그 중에서 지금 자신의 교육에 대한
생각과 역량에 영향을 준 경험을
짚어봅니다. 그리고 그것이 어떻게
지금의 나를 형성해왔는지
인식합니다.

지식에서
인간의 성장까지

대화한 날_ 2023. 10. 18.

완성한 날_ 2023. 12. 3.

지식에서 인간의 성장까지

학력이 돈인 사회

나의 집은 언제나 옥탑방 혹은 반지하였다. 나와 동생의 주변인들도 마찬가지의 가정환경이었다. 동생의 친구가 자신의 인생은 실패작이라며 엉엉 울었던 적이 있었다.

그 친구가 초등학교 저학년이었을 때부터 공부에 큰 관심이 없었던 것으로 기억한다. 뒤늦게 운동으로 진로를 정하려 했으나 운동마저 자신의 바람만큼 되지 않았다. 혼자서 자립해야 하는 상황에서 미래의 어떠한 비전도 찾지 못했다. 그 당시에는 잘못된 교육 체계 혹은 무지에 의한 방관으로 인한 실.패.라고 생각했다. 나는 왜 그 친구의 짧은 인생을 실패라고 단정지었는지 모르겠다. 고작 20살이었을 뿐인데 말이다. 내 동생 역시 자립하기 위해 오토바이 배달을 시작했다. 오토바이 배달은 쉬운 일이 아니다. 동생은 매일 8시간 동안 교통체증과 날씨에 시달리고, 손님들의 불만과 욕설에 참아야 했다. 그런데도 동생이 한 달에 버는 돈은 100만원 정도였다. 그 와중에 난 교대에 입학하였고 그 대학교 간판을 바탕으로 자립을 할 수 있었다. 초등학생부터 고등학생까지 다양한 학년의 학생들에게 영어, 수학, 국어 등을 가르쳐 주었다. 일주일 4개의 과외 알바로 나의 한 달 수입은 동생을 가볍게 뛰어 넘었다. 내가 가르치는 학생의 학부모들에게는 내가 어느 대학에

다니는 지가 참 중요했다. 내가 이렇게 쉽게 돈을 벌 수 있었던 것은 나의 대학교 간판 때문이었으리라. 그리고 그들이 나에게 많은 돈을 주고 그들의 자식에게 바라는 것은 역시 대학교의 간판이었다. 참으로 다행인 일이 아닌가. 교대에 진학하지 못했다면 큰 일 날 뻔했다고 식은 땀을 흘렸다.

교사의 가르침은 지식 전달인가

그렇기에 교사의 가르침은 생존에 필요한 최소한의 지식을 알려주는 것이라고 생각했다. 좋은 학벌을 만들 수가 없다면 카센터 직원이라도 되야할 것 아닌가. 가난은 무지를 용서하지 않는다고 생각했다. 가난에 매몰되어 자신의 상황에 비관하기보다는 지식과 능력을 배우고 스스로 노력해야 한다고 생각했다. 내가 나의 가난을 뛰어 넘은 것처럼. 내가 가르치는 학생 중에서는 가난에 먹히지 않기를 바랬다. 그렇기에 신규 교사의 열정으로 '배움'을 강조한 적이 있었다. 3번째 6학년을 맡았을 때, 가명 J라는 학생을 만났다. 불우한 가정환경의 친구였다. 엄마가 가출한 상태이고, 친할머니께서

육아를 담당하시나 J의 말썽을 탐탁치 않아 하셨다. 아빠 역시 아이의 상태에 대하여 무관심한 편이셨다. 어느 곳에서도 사랑받지 못하는 이 아이는 할머니에게 그나마의 사랑을 받기 위해 내 앞에서 가출한 엄마를 향한 욕설을 내뱉는 불쌍한 아이였다. J는 항상 수업에 참여하지 않고, 숙제도 안 하고, 친구들과도 잘 어울리지 않았다. 아니 못했다. 처음에는 능력이 없는 것이 아니라, 희망이 없어서 그런 것이라고 생각했다. 그래서 J에게 '배움'의 중요성을 알려주고자 했다. '배움'의 중요성을 J가 안다면 J의 불우한 인생을 극복하는 데 큰 도움이 될 것이라고 기대했다. 하지만 유전적인 요소인 것인지 환경적인 요소인 것인지는 모르겠지만 안타깝게도 이 학생의 낮은 학업 성취도는 나아질 기미가 보이지 않았다. 어느 정도였냐면, 6학년 2학기에 세계지리 분야가 나온다. 프랑스의 수도가 어디냐는 나의 질문에 J는 나에게 '경기도'라고 망설이며 대답했다. 기가 막힌 대답이었다. 수도라는 개념이 추상적인 것은 알지만 나라의 수도에 관한 이야기는 4학년부터 꾸준히 나

오는 기본 상식이다. 순간 J가 경계성 지능 장애가 아닐까 생각했다. 나는 분노하였다. J를 6학년이 될 때까지 이렇게 놔둔 학교 시스템에, 현재에도 도와줄 학교 시스템이 없다는 사실에 분노하였다. J를 위한 다른 교육과정을 만들고 싶다는 나의 요구에 교감 선생님과 연구 부장님은 일언지하에 거절했다. 그럴만한 여력이 학교에 없다는 말씀이셨다. J는 그렇게 졸업을 하였다. 몇 년의 시간이 흘러 졸업한 J에게 연락이 왔다. 자신은 지금 아이돌 연습생이고, 선생님은 잘 계시냐는 안부 문자였다. 아이돌 연습생이라니... 거짓말과 허세가 섞인 J의 연락이 꽤나 아팠다. 잘 지내고 있다면 나 따위는 잊었을 것인데, 이 아이는 또 어디가 허전하여 나에게 까지 연락을 한 것일까.

J까지 참여할만한 교육과정을 만들고 싶었다. 알아야 한다. 무엇을 해야 할 지 생각하고 있어야 한다. 준비하고 있어야 한다. 세상은 혹독한 것이다. 너희는 그런 세상에서 살아남아야 한다. 그렇기에 수업에 대한 준비도 많이 했다. 특히 교육과정을 재구성하는 연구를 많이 하였다. 그 당

시 교육부에서 교육과정 재구성에 대한 바람이 불어왔기 때문이기도 하다. 무엇보다도 '재미'라는 요소가 들어가야 아이들에게 나의 수업이 의미 있을 것이라고 생각했다. 내 수업이 아이들의 삶 속에서 의미 있길 바랐다. 4번째 6학년을 맡았던 시기였다. 동료 교사에게 함께 교육과정 재구성을 하자는 제안을 했다. 일언지하에 거절당했다. 그래도 하고 싶다는 나의 욕심은 멈추지 않았고 혼자라도 하기로 했다. 교육과정 재구성 책을 사서 연구를 하기도 하고, 책 속의 저자에게 전화를 걸어 도움을 요청하기도 했다. 이미 재구성을 하고 있었던 혁신 학교의 6학년 부장님께 전화를 드려 나도 참여해도 되냐고 여쭈어본 적도 있다. 혁신 학교 선생님의 친절함으로 얼추 재구성의 방법과 기술을 익혔다. 함께하는 동료 교사가 없어서 외로웠지만 그만큼 나에게 제한이 없는 자유로움을 주었다. 전자보다는 후자를 만끽하기로 했다. 2016년도 춘천으로 파견을 나갔을 때도 마찬가지였다. 춘천의 읍단위의 6학급의 작은 학교에서 나는 오히려 더 자유로운 수업을 할 수 있었다. 눈치 볼 동학년이 없는 만큼 제한선이 없는 교육과정 편성과 예산이 나에게 있었다. 내가 하고 싶었던 모든 수업들을 펼칠 수 있는 기회였다. 심지어 내 손으로 국어 한 단원을 진행할 새로운 학급 교과서도 만들었다. '나는 이렇게 열심히 하는 교사다.' 라는 자기 만족감에 아이들을 많이 몰아붙였다. 저녁 늦게까지 수학을 시킨 적도 있다. 하지만 이 학교는 내가 자라온 세계와는 다른 곳이었다. 학업이 경제적 부를 성취하기 위한 과정으로 치부한다면 이 학생들은 학업의 과정을 치열하게 할 이유가 없었다. 대부분의 아이들이 닭갈비와 막국수 집을 운영하는 가게의 자녀들로 가게를 물려받으면 그만이었다. 경제적인 부분에서 자유로웠기 때문일까. 학부모들은 학업을 통한 성장보다는 원만한 관계를 통해 건강하게 성장하기를 바라셨다. 그런 학부모님들의 바람처럼 아이들은 건강했다. 학년 말에 강남 대치동에서 전학을 온 한 친구가 있었다. 그 학부모님의 말씀에 따르면 '뱁새가 황새를 따라 가려 다가 가랑이가 찢어져 잠시 요양을 온 것' 이라고 했다. 강남에서 온 아이는 인지적인 부분도 정서적인 부분도 형편없었다. 강남에서 왔다 길래 우리 반 꼬마 수학자가 되길 기대했지만 엉망진창이었다. 틀린 것을 숨기며 우물쭈물 하는 그 아이에게 우리 반 아이는 "야! 우리 틀리려고 학교 오는 거야!" 라고 가르쳐줬다. "우리 집에는 돈이 많아! 너희는 거지지?" 라고 외치는 그 친구에게 우리 반 아이는 "넌 자랑할 것이 돈 밖에 없는 거냐! 우리 형은 전교 회장이다!" 라고 맞받아 쳤다. 난 어느 방향의 '배움'을 강조해야 하는 것일까.

교사의 가르침은 인간의 성장이다

내 아이가 태어나고 나서, 내 관점은 크게 변했다. 아이를 키우며, 단순히 지식을 전달하는 것 이상으로 정서적인 측면에서도 성장시켜야 한다는 인식이 깊어졌다. 우리 집 1호는 코호트 대상자로 선정되어 매년 정서&인지검사 결과를 받고 있다. 아이는 불안도가 높은 편이었지만, 인지 능력은 객관적으로 뛰어났다. 그러나 아이의 정서적 불안으로 지적 능력이 충분히 발휘되지 못하고 있는 것 같았다.

그런데 어느 날, 가족들과 함께 보러 간 어린이 뮤지컬 "알사탕"에서 나는 뒤통수를 얻어맞는 듯한 깨달음을 얻었다. 편부 가정의 친구 없는 아이 동동이가 친구를 사귀기 위해 애절하게 노래 부르는 장면이 있다. "사랑하는 아빠, 보고픈 할머니, 나를 제발 응원해줘"라는 대목에서는 결국 오열하고야 말았다. 그 순간, 나는 아이가 언제나 응원받고 싶은 존재임을 깨달았다. 내 어린 시절의 그 응원이 얼마나 절실했는지를 다시 되돌아 생각하게 되었다. 아이를 도우려면 나부터 변해야 했다. 인지 능력만으로는 아이의 성장을 완전히 지원하지 못한다는 것을 깨달았다. 아이는 감정적인 안정감과 지지가 필요했다. 그래서 나는 매일의 소소한 순간에 감사함을 나누기 시작했다. 아이와 따로 시간을 보내며, "너는 언제나 엄마를 완성시켜. 셀 수 없이 사랑해"라고 말했다. 그 결과로 아이는 점차 정서적인 안정을 찾아가며, 조금씩 성장을 이루어나갔다.

나도 교사로서 성장하는 중이다. 교사의 가르침은 지식을 전달하는 것에서 그치는 것이 아니라, 정서적인 측면에서도 성장시켜야 한다. 교사는 아이의 성장을 격려하는 존재이다. 아이가 언제나 응원받고 있다는 것을 느끼게 해 주어야 한다. 그렇게 할 때, 아이는 자신의 잠재력을 깨닫고, 세상을 향해 나아갈 수 있을 것이다.

"사랑하는 아빠, 보고픈 할머니,

나를 제발 응원해줘."

B

당신은 이 글의 저자인 동시에 독자입니다. 저자인 나와 독자인 나는 만날 때마다 새로운 이야기를 만들어 갑니다. 지금 이 글을 읽는 당신의 생각을 여기에 더해보세요. 그것은 내 손을 떠난 글에 새로운 생명과 생기를 불어넣는 일입니다.

지식에서 인간의 성장까지

지식에서 인간의 성장까지

내게 배운 학생들은
어떤 세상에서 살까요?

우리 사회가 어떠한 곳이 되기를
바라는지 생각해봅니다. 정치, 경제,
문화 등 사회의 각 영역에 대한
관점에 영향을 준 일들을
짚어봅니다. 그를 통하여 어떤
가치관을 형성해 왔는지
성찰합니다. 그에 비추어 현재
우리 사회의 모습을 볼 때 발견하는
괴리를 인식합니다.

상처입은 개인을 돌보는 공동체가 되길

대화한 날_ 2023. 10. 25.

완성한 날_ 2023. 12. 3.

상처입은 개인을 돌보는 공동체가 되길

현재의 대한민국

미래를 말하려면 현재를 우선 살펴봐야 한다. 즐겨 듣는 '슈카월드'라는 방송에서 들은 이야기다. 퓨리서치센터가 올해 17개국 성인을 대상으로 실시한 설문조사에 따르면, '나의 삶에 의미있는 것은 무엇인가'에 대한 답으로 한국인들은 유일하게 '물질적 행복'을 삶의 가치 1순위로 꼽았다. 다른 나라의 사람들이 가족을 삶의 가치 1순위로 뽑는 것과는 확연한 차이가 있었다.

While family, careers, material well-being, friends and health are all top sources of meaning, they vary in importance across publics surveyed

Ranked choice among 17 topics coded as part of what gives people meaning in life

	1st choice	2nd	3rd	4th	5th
Australia	Family	Occupation	Friends	Material well-being	Society
New Zealand	Family	Occupation	Friends	Material well-being	Society
Sweden	Family	Occupation	Friends	Material well-being/Health	
France	Family	Occupation	Health	Material well-being	Friends
Greece	Family	Occupation	Health	Friends	Hobbies
Germany	Family	Occupation/Health		Material well-being/General Positive	
Canada	Family	Occupation	Material well-being	Friends	Society
Singapore	Family	Occupation	Society	Material well-being	Friends
Italy	Family/Occupation		Material well-being	Health	Friends
Netherlands	Family	Material well-being	Health	Friends	Occupation
Belgium	Family	Material well-being	Occupation	Health	Friends
Japan	Family	Material well-being	Occupation/Health		Hobbies
UK	Family	Friends	Hobbies	Occupation	Health
U.S.	Family	Friends	Material well-being	Occupation	Faith
Spain	Health	Material well-being	Occupation	Family	Society
South Korea	Material well-being	Health	Family	General Positive	Society/Freedom
Taiwan	Society	Material well-being	Family	Freedom	Hobbies

Note: Open-ended question. Rank reflects where the topic fell in a list of 17 sources of meaning that were coded. See Appendix A for more information.
Source: Spring 2021 Global Attitudes Survey. Q16.
"What Makes Life Meaningful? Views from 17 Advanced Economies"

PEW RESEARCH CENTER

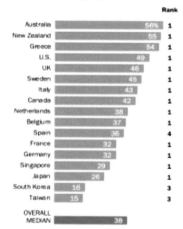

Many point to family and children as sources of meaning in life

% who mention family and children when describing what gives them meaning in life

		Rank
Australia	56%	1
New Zealand	55	1
Greece	54	1
U.S.	49	1
UK	46	1
Sweden	45	1
Italy	43	1
Canada	42	1
Netherlands	38	1
Belgium	37	1
Spain	36	4
France	32	1
Germany	32	1
Singapore	29	1
Japan	26	1
South Korea	16	3
Taiwan	15	3
OVERALL MEDIAN	38	

상처입은 개인을 돌보는 공동체가 되길

내가 기겁한 것은 가족, 친구, 공동체의 의미를 해석하는 대한민국의 태도였다. 전 세계의 사람들의 절반이 가족이 삶의 중요한 가치라고 응답할 때, 대한민국의 16%만이 가족의 의미를 최우선으로 한다고 대답하였다. 심지어 대한민국의 3%만이 친구, 연인, 공동체에게 의미를 부여하였다. 인생에서 친구가 중요한 시기인 19~29세 사이의 청년들도 똑같은 비율로 답하였다. 친구와 동료도 없고, 연인도 즐겁지 않고, 가족에게서도 의미를 찾지 못하는 대한민국이다. 공동체 붕괴의 장면을 통계로 목도하는 기분이었다.

곰곰이 생각해보니 내 아이들이 보고 있는 컨텐츠에도 차이가 있다는 사실을 깨달았다. 우리 집은 디즈니의 '블루이'를 좋아한다. 6살인 블루이와 4살 빙고의 성장 이야기를 주요 골자로 하는 다정하고 상냥한 가족 시트콤이다. 우리 집 1호가 먼저 이 만화를 발견한 후 찾아보니 꽤 세계적으로 인기있는 작품임을 알았다. 심지어 아마존에서는 아빠인 밴디트 캐릭터가 그려진 'YOUR ARE GOOD FATHER' 굿즈도 팔고 있다. 오스트레일리아에서 가족과 아이가 삶의 이유 1위라는 통계 결과를 보고 과연 이런 따뜻한 가족 컨텐츠의 배경에는 따뜻한 사회적 배경이 존재했음을 알았다. 반면 우리 집 1호가 또다시 흥미로워하는 한국 컨텐츠 중에는 '마법천자문'이 있다. 암기를 해야하는 한자를 스토리 형식으로 풀어낸 학습 만화. 이 작품 역시 '문화체육관광부 장관상'도 받은 것으로 기억한다. 대한민국이 판단하는 우수한 컨텐츠의 기준이 무엇인가를 가늠할 수 있는 슬픈 사례라고 생각한다.

공동체로부터 자립하는 개인들

나의 상황은 이 통계로부터 자유로운가. 아닌 것 같다. 옆반 선생님과는 학기 초부터 사이가 좋지 않았다. 수업이 나의 삶을 의미있게 만드는 것과는 달리 그 분은 수업은 돈을 버는 수단에 불과하였다. 학교에서 그저 살아가는 것이 목표가 되어 아무것도 안 하고 조용히 시간을 보내는 것이 오히려 이득인 분이다. 가치관의 차이는 다름으로 넘기면 되겠지만 그 분은 나 역시 그 분의 가치관과 같게 행동하길 바랐다. "난 이거 왜 하는지 모르겠어."라고 말하며 수업을 폄하하는 그 사람의 말을 견디기가 힘들었다. 게다가 상담 선생님의 얼굴을 만지며 "어이구, 착해."라고 말하는 장면에서는 눈이 휘둥그레해졌다. 자신의 우위를 선점하기 위하여 의식적인지 무의식적인지 모를 그 무례에 기함을 토했다. 하지만 고경력자임을 내세우는 그녀와 잘 지내기 위해 그 무례를 견디거나 굽히지 않아도 된다. 똑같은 평교사인 나와 그녀는 위계 관계가 성립되지 않기 때문이다. 나의 학급이라는 영역이 분명하게 존재하고 그녀의 영향력이 닿지 않는 나의 영역에 집중하면 된다. 그리고 이런 이야기에 고개를 끄덕여주는 학교의 전반적인 분위기가 있었기 때문에 가능한 판단이었다. 어느새 학교에서도 경력 혹은 공동체가 중요한 가치가 아니게 된 것일까.

　　　사회전반적인 분위기와 나의 상황은 맥을 같이 하는 듯하다. 즐겨읽는 송길영 박사의 책에서는 [핵개인의 시대]가 올 것이라고 말한다. 핵가족화를 뛰어넘는 핵개인화의 시대. 송길영 박사가 말하는 핵개인화는 개인이 자신의 가치와 취향을 표현하고, 자신만의 성공과 행복을 추구하는 것을 말한다. 과거 부모님의 시대에서는 폭력적이고 전체주의적인 분위기가 있었다. 그런 분위기에서 개인의 성공을 담보하는 것은 학벌 혹은 경력 같은 외부적인 요소였다. 그렇기에 모두 비슷한 꿈과 목표를 가지고, 똑같은 방식으로 살아갔다. 하지만 요즘은 더 이상 학벌 혹은 경력이 사람을 평가하는 기준이 아닐 뿐더러 소득을 보장하는 시대도 지났다. 개인의 만들어내는 정확한 결과물같은 실력이 중요해졌다. 먼저 나의 개인적인 경험을 들자면, 큰 예시안은 나의 호적메이트다(aka. 동생). 긴 사춘기로 나를 얼마나 징글맞게 괴롭혔던가. 오토바이 폭주에. 문신에. 게임중독에. 술과 여자에 빠져있던 놈이였다. 저 놈이 사람구실을 할 수 있을까. 엮이지 않으려 애썼다. 나와 달리 엄마는 대한민국의 성공방정식에 따라 최소한의 학위를 부여하려고 노력하였으며 적어도 공무원은 해야 한다며 동생을 다그쳤다. 그러나 대한민국의 성공방적식에서는 한참 벗어난 호적메이트에게 판매왕의 재능이 있을 줄

누가 알았을까. 그렇게 방황을 거듭하던 호적메이트는 자기 나름대로의 성공방정식을 갖고 있었다. 현재 엄마의 아픈 손가락은 가장 든든한 울타리가 되어 있다. 나의 편협한 생각이 그 친구를 과소평가하고 함부로 재단하고 있었다. 소위 먹물의 편견이 아니었을까. 세상은 알고 있었는데 나와 엄마만 몰랐을지도.

약해지는 공동체의 가치

과거에는 폭력적이든 아니든 전체가 갖고 있는 '상식'이라는 선이 존재하는 사회적 규범이 있었던 것 같다. 05년도에 SBS에서 아이엠이라는 사회실험이자 몰카메라 형식의 예능이 있었다. 가장 기억에 남는 에피소드는 공원 관리자 할아버지께서 일반 시민에게 도움을 요청하여 같이 낙엽을 모은다. 그리고 곧 한 아이가 모아둔 낙엽을 어지럽힌다. 장난을 치는 아이를 제지하게 되면 바로 그 아이의 엄마가 나와서 항의하는 모습을 보여준다. 이 상황에서 일반인들은 어떠한 반응은 보일 것인가와 관련된 장면이다. 대부분의 사람들은 항의하는 엄마에게 훈계를 하는 대응을 하였고, 1%의 사람이라는 장면도 이 아이가 왜 우는지 모르겠다며 아이를 달래거나 당사자가 아닌 지나가던 행인이 분기탱천하여 아이의 엄마와 대화하는 식이었다. 되돌아 생각해보건데 과거에도 자신의 아이만을 생각하는 막무가내 부모들은 있었던 모양이다. 다만 하나의 매스 미디어가 있었기에 그들의 행동이 비상식적이라고 여기는 공통된 사회 분위기가 분명 있었다.

| [실험카메라] 버릇없는 아이와 무개념 엄마 vs 멋진 시민들 | 아이엠 EP.21 #사회실험 #시민의식 #예의 #무개념 엄마

　　　하지만 지금은 '상식'의 선이 상당히 희석되었음을 느낀다. '비상식적'인 사람들은 자신들이 '비상식적'이라는 사실도 모르는 것 같다. 어느 정치가인지는 모르겠지만 현대인의 '무지성'에 대한 책을 언급한 적이 있다. 궁금한 마음에 읽어본 책에서는 현대 사회에서 지식과 정보

상처입은 개인을 돌보는 공동체가 되길

에 접근할 수 있는 기회가 늘어난 반면에, 사람들이 그것들을 비판적으로 분석하고 활용하는 능력은 줄어들고 있다는 주장을 한다. 대표적인 예시로 코로나 19 백신 거부를 들 수 있겠다. 코로나 19 백신은 과학의 영역임에도 불구하고 정치의 영역으로 끌어들여 거부하는 사람들을 이해할 수가 없었다. 자신들의 아집으로 똘똘 뭉친 그들은 과학적인 근거가 없는 유언비어나 음모론을 퍼트리며, 그들만의 '필터 버블'을 즐겼다. 자신과 타인의 건강에 위협을 주었다는 사실을 인정이라도 할까 싶다.

하지만 공동체의 중요성

우리 사회는 지난 몇 년 동안 공동체 의식이 약화되고 있는 것으로 보이며, 앞으로도 이러한 추세는 계속될 것으로 보인다.

의사 출신 경제학자인 김현철 교수는 자신의 저서 <경제학이 필요한 순간>에서 '좋은 공동체에는 불행을 극복하는 힘이 있다'고 단언하신다. 교단에 들어선지 얼마 되지 않아 세월호 참사가 일어났다. 안산 단원고등학교 학생 250명의 꽃같은 목숨이 물 속으로 가라앉았다. 일주일이 넘는 시간 동안, 온 국민이 아이들이 죽어가는 장면을 생방송으로 지켜보았다. 대한민국 구성원 모두가 슬픔에 잠겼다고 해도 과언이 아니었다. 불행하게도 이 슬픔은 저소득층에게 집중되었다. 안산은 세월호 참사 희생자와 유가족이 많이 거주하는 지역이다. 한국보건사회연구원의 연구에 따르면, 세월호 참사 직후인 2014년 4월에서 6월까지 안산 지역의 저소득층 자살율은 전년 동기 대비 23.7% 증가했다. 이는 같은 기간 동안 전체 자살율이 16.6% 증가한 것에 비해 훨씬 높은 수치인 것이다.

불행은 개인은 물론 사회 공동체도 변화시킨다. 참사 이후 그것을 겪은 공동체가 망가지고 피폐해지기만 하는 건 아니다. 다수가 힘을 합쳐 그 참사의 피해를 잘 보듬고 극복해나간 경우, 사회 구성원 간 협력 및 유대가 높아진다는 연구 결과도 많이 있다. 2001년 9.11 테러 이후 미국 공동체의 변화가 그러하다. 희생자 가족과 그 이웃은 그렇지 않은 뉴욕, 뉴저지 거주민에 비해 투표에

상처입은 개인을 돌보는 공동체가 되길

더 적극적인 유권자가 되었다. 희생자 가족은 3~4%, 이웃은 1~2%씩 투표율이 증가했다. 개인의 슬픔을 더 나은 공동체로 만들고자 승화시키는 장면이다.

불우한 어린 시절을 경험한 사람, 친구를 잘못 만나 옳지 못한 길로 빠져든 사람, 오랫동안 차별에 노출된 사람, 코로나19로 학창 시절을 잃어버린 청소년 등은 모두 불행을 경험한 당사자들이다. 하지만 공동체에는 개인과 사회의 불행과 아픔을 승화시키는 힘이 있다. 그리고 교육은 우리가 잃어버린 공동체의식을 되찾는 기회를 제공할 것이라 생각한다.

이러한 과정에서 교육이 중요한 역할을 할 것이라 믿는다. 교육은 상처 입은 개인들에게 지원과 도움을 제공하고, 사회적 연결성을 촉진함으로써 공동체의 회복력을 높일 수 있다. 또한, 다양성과 포용을 강조하는 교육은 공동체 내의 이해관계를 향상시켜 분열을 예방할 수 있을 것이다. 상처 입는 사람들을 적극적으로 보듬는 대한민국이 되었으면 좋겠다.

"좋은 공동체에는

 불행을 극복하는 힘이 있다."

상처입은 개인을 돌보는 공동체가 되길

B

당신은 이 글의 저자인 동시에 독자입니다. 저자인 나와
독자인 나는 만날 때마다 새로운 이야기를 만들어 갑니
다. 지금 이 글을 읽는 당신의 생각을 여기에 더해보세
요. 그것은 내 손을 떠난 글에 새로운 생명과 생기를 불
어넣는 일입니다.

상처입은 개인을 돌보는 공동체가 되길

B

학교는 어떤 곳이
될 수 있을까요?

우리 교육이 마땅히 그러하길
바라는 모습을 상상해봅니다.
교육에 대한 자신의 철학을
형성하게 한 일들을 되짚어봅니다.
그를 통하여 어떤 교육철학을 갖게
되었는지 성찰합니다. 현재 우리
교육이 가진 괴리를 인식합니다.

인간의 성장을
목표로 하는 미래학교

대화한 날_ 2023. 11. 1.

완성한 날_ 2023. 12. 3.

인간의 성장을 목표로 하는 미래학교

붕괴하고 있는 현재의 학교

현재 대한민국의 학교는 공동체의 가치가 완전히 붕괴되고 있는 대한민국 사회의 영향을 받아 권위를 잃어가고 있다. 학생들은 교사와 학교의 규율에 공감하지 않고, 교사들은 학생들과의 소통과 협력을 포기하고 있다. 이러한 현상은 공동체 가치 붕괴와 학교 권위 붕괴가 서로 상관 관계가 있는지에 대한 합리적인 의심을 불러일으킨다. 공동체 가치가 붕괴되면 학교 권위도 붕괴되는 것인가? 아니면 학교 권위가 붕괴되면 공동체 가치도 붕괴되는 것인가?

교대 다니던 시절, 이홍우 교수의 [교육의 목적과 난점]이라는 책을 읽은 적이 있다. 이홍우 교수님은 '인간의 성장' 그 자체를 목적으로 하는 그리스식 교육과 '기술을 습득한 기능인'을 목적으로 하는 로마식 교육으로 양분하여 교육의 목적에 대하여 설명하셨다. 그 거대 담론이 얼마나 매력적이던지 알바몬 시절에 그 과제만큼은 정말로 열심히 했던 기억이 난다. 이홍우 교수님의 관점에 따르면 대한민국의 교육은 오랜 시간 동안 '기능인'을 키우기 위하여 진행되어 오고 있다. 학부모의 교육 목적은 교육의 '결과'로서의 사회경제적 지위와 관련된 것이었다. 동시에 교사의 교육 목적은 학생이 사회경제적 지위를 획득하기 위한 교육과정(지식)을 가르치는 일로써 존재했다. 나 역시 이홍우 교수님의 관점에 동의한다. 과거에는 배움의 장소가 한정적이었기에 학부모에게 "이렇게 하시면 좋은 대학 못 가요." 혹은 "이렇게 하시면 제가 공부 못 가르쳐요."라는 말이 제일 잘 먹혔을 것으로 생각한다. 지금은 상황이 다르다. 학교보다 훨씬 더 잘 가르치는 사교육이 넘치고 있다. 최고의 일타 강사 중 한 명인 현우진에게 강의를 듣는 수강생의 수는 약 100만 명에 달할 것이라고 한다. 온라인으로 진행되는 그의 강의를 돈만 있으면 어느 공간에서든지 들을 수 있다. 학교의 목표를 수능을 필두로 한 입시 제도에서 성적을 높이는 '기능인'을 키우는 것으로 상정한다면, 학교는 사교육에 밀릴 수밖에 없다. 더이상 학교에서만이 '기능인'을 키울 수 있는 것은 아니기 때문이다.

사교육이 도달한 교육의 내재적 목적

그렇다면 학교에서만이 '인간의 성장' 그 자체를 목적으로 하는 그리스식 교육을 할 수 있는 것인가. 이홍우 교수님은 교육의 목적을 이론적 활동의 가치를 알고 그것에 헌신하도록 이끄는 데에 있다고 하였다. 이 말이 모호하여 이홍우 교수님의 예시로 갈음하려고 한다.

> 물이 수소와 산소로 되어 있다는 것은 초등학교에서부터 가르치고 있습니다. 이제 어떤 초등학교 교사가 학생들에게 이것을 가르친다고 합시다. 십중 팔구 그 교사는,

우리가 마시고 몸을 씻소 꽃밭에 뿌리는 그 물이 사실은 수소와 산소라는 '작은 알맹이'의 결합으로 되어 있다고 말할 것입니다. 이것을 배운 결과로 학생들은 시험에 '물은 무엇으로 되어 있는가'라는 문제가 나오면 '수소와 산소'라고 대답할 것입니다. 이로써 교사는 학생들이 '물은 수소와 산소로 되어 있다'는 과학의 교육내용을 배웠다고 생각합니다. 그러나 중요한 문제는, 이 과학적 지식이 학생들에게 무슨 '의미'를 가지게 되었는가 하는 것입니다. 대부분의 경우에 그것은 오직 시험을 치르고 그 결과로 사회적 지위를 획득하는, 이른바 '상품적' 가치를 가진다는 생각이 나오게 되는 것입니다. 그러나 가령 어떤 학생이 천재적인 교사의 가르침을 받은 결과로, 또는 그야말로 천우신조에 힘입어서, 물은 수소와 산소로 되어 있다는 '해답'이 아니라 물은 무엇으로 되어 있는가라는 '질문'의 의미에 관심을 가지게 되었다고 합시다. -'물은 무엇으로 되어 있느냐고? 아니, 물이 무엇으로 되어 있다니! 물은 그냥 물이 아닌가? 도대체 어떻게 "물은 무엇으로 되어 있는가"라는 질문을 할 수 있다는 말인가?' 생각하면 할수록, 그것은 참으로 어처구니 없는 질문이라고 그 학생은 생각할 것입니다. '물은 무엇으로 되어 있는가, 물은 무엇으로 되어 있는가"- 그 학생의 머리는 온통 이 질문으로 꽉 차 있고 어디를 가든지 무엇을 하든지 그 질문은 마치 물귀신처럼 그의 마음을 웅켜잡고 있습니다. 이제 그 학생에게 이 질문이 너무도 절실한 것이 되어서, 천하의 금은보화를 다 갖다 준다고 한들 그 질문으로부터 그의 마음을 돌릴 수 없을지 모릅니다. 그는 그야말로 거의 '미칠 지경'에 이르렀습니다.

학교에서만이 학생을 이 지경으로 만들 수 있는 가라는 질문에 고개가 갸웃거려진다. 며칠전, 우리 집 1호의 수학 실력을 높이기 위해 CMS라는 사고력 수학을 등록하였다. 교사맘까페에서, 이름난 수학까페에서, 사고력 수학을 강조하는 이야기에 나의 팔랑거리는 귀가 홀라당 넘어갔기 때문이다. 수학 교육과정에서 수와 연산 단원을 뺀 나머지 영역을 모아 사고력 수학이라는 이름으로 사교육에서 탄생한 것으로 알고 있다. 단순 반복과 훈련이 필요한 수와 연산을 제외했기 때문에, 문제를 이해하고 해결하는 과정에서 필요한 논리적 사고와 창의적 사고를 키우는 것이 목적인 수학 학원이다. 실제로 cms 수학학원의 모토는 '수학은 즐거운 놀이다'이다. 이 모토로 많은 아이들이 수학을 즐겁게 받아들이고 있다면, 사교육에서는 이미 '인간의 성장' 그 자체를 목적으로 하는 그리스식 교육을 체계화하고 상품화하고 있다는 것이 아닐까?

학교는 사회의 모범

모든 곳에서 교육이 이루어지고 있고, 모든 곳에서 교육의 외재적 목적과 내재적 목적을 이루어내고 있다. 그렇다면 학교의 필요성은 도대체 어디에 있는 것일까. 학교는 사회의 모범으로써 존재해야 한다. 과거에도 그랬고. 현재도 그러하며 미래에도 그럴 것이라고 생각한다. 전세계에서 가장 세속적인 대한민국에서 학교는 어떠한 모범을 보여줄 수 있을까. 학교에서의 교육은 단순히 지식 전달만이 아니라, 인간의 성장과 발전을 위한 핵심적인 장소로 여겨져야 한다.

인간의 성장과 발전을 위해서 학교에서는 어떠한 이야기를 풀어내야 하는 것일까. 수업과 가르침에 대하여 곰곰이 생각해본 적이 있다. 수업은 학생들에게 지식이나 기술을 전달하는 과정이고, 가르침은 학생들에게 배우는 방법이나 태도를 가르치는 과정이다. 수업은 학생들의 머리에 정보를 채우는 것이고, 가르침은 학생들의 마음에 영감을 주는 것이다. 수업은 교사가 중심이 되고, 가르침은 학생이 중심이 된다. 수업은 교사가 말하고 학생이 듣는 것이고, 가르침은 교사와 학생이 대화하는 것이다. 수업과 가르침은 모두 중요하고 필요한 것이지만 그 사이에는 큰 차이가 있다. 수업은 가르침의 일부일 뿐이고, 가르침은 수업을 넘어서는 삶의 그 무언가이다. 나는 수업이 아니라 가르침에 대하여 이야기하고 싶은 교사다. 아이의 삶을 바꾸는 것은 수업이 아니라 삶이 묻어난 가르침이라고 생각한다.

연수 시간을 채우기 위하여 억지로 들은 강의에서 미래 학교에 대한 힌트를 얻었다. '인성교육, 학생을 바꾸다.'라는 제목의 연수이다. 아리스토텔레스의 덕목 윤리학에서 시작된 인성교육은 현대에 들어와서 훨씬 세분화되고 현실적으로 바뀌었다. 송길영 박사님의 표현을 빌리자면 '현행화'가 이루어 진 것이다. 인성교육은 지식과 더불어 학생들이 긍정적인 가치관, 도덕적인 행동, 책임감, 협동심 등을 배우고 실천할 수 있도록 하는 것이다. 학교는 단순히 시험 성적을 통한 지식 측정의 장소가 아니라, 학생들이 성장하고 성숙해지는 과정을 이끌어내는 역할을 맡아야 한다. 이는 코파일럿된 AI의 발달로 인한 단순한 지식의 증가만큼이나 중요한 부분으로, 학생들이 성공적이고 풍요로운 삶을 살아갈 수 있도록 기반이 될 것이다. 따라서, 학교에서의 교육은 더 이상 단순히 지식의 전달이 아니라, 인간성의 발전과 성숙을 위한 토대를 마련하는 곳으로 전환되어야 한다.

나의 수업—미덕교육

이런 학교를 만들기 위하여 나의 교실에서는 어떤 수업을 하고 있는가. 교대 시절부터 소나무 취향으로 잡고 있는 덕목 교육을 실천하고 있다. 언젠가 블로그에서 미덕 프로젝트를 실천하고 있는 선생님의 글을 보았다. 미덕 교육에 대해 잘 모르는 상태였지만, 무모한 도전을 하기로 했다. 그 이유는 교대 시절 친구와의 대화가 떠올랐기 때문이다. 인성교육이 중요하다고 주장하는 내 모습에 친구가 장난기가 발동했나 보다. "내가 강남의 학부모야. 선생님, 전 인성따위 중요하지 않아요. 그냥 공부만 시켜달라구요. 인성 같은 것은 내가 집에서 알아서 할 테니까 공부만 가르쳐 달라구요. 이러면 어쩔꺼야?" 이 말에 순간 말문이 막혔다. 정말로 그런 사람이 존재할 것 같았고, 그들의 주장을 꺾고 싶었다. 지금은 그 친구의 예상과는 다르게 "공부는 집에서 하고 있으니, 학교에서는 친구들과 잘 지내게 해주세요."라고 거꾸로 요구하고 있지만.

나의 3월 학부모 인사말 이야기로 갈음한다.

> 제 교실의 급훈은 '따뜻한 마음으로 대화하는 어린이' 입니다. 여기서 말하는 대화란 단순히 서로의 의견을 주고받는 것을 넘어서서 타인에 대한 온정적 수용을 의미합니다. 이를 위해 교사의 역할은 학생들이 자신의 생각을 펼치고 받아들일 수 있는 따뜻한 분위기를 만드는 안내자, 조력자가 되어야 한다고 생각합니다. 특히 1학년은 학교에 적응하는 첫 단추이기에 아이들의 대화에 귀 기울이고 참여해야 한다고 생각합니다. 아이들이 학교의 첫 경험이 즐거울 수 있도록 최선을 다해 돕겠습니다.

　　　　이러한 교육철학을 실현하기 위해 아리스토텔레스의 덕목을 기반으로 한 미덕의 교육과정을 학급 특색으로 계발하여 수업 및 생활 지도에 활용하고 있습니다. 총 12가지의 덕목을 가치보석으로 표현하여 교과 전반에서 이해하고 실천하려 합니다.

　　　　덕목 교육을 실천하고자 할 때 가장 중요한 부분은 공동체의 관계입니다. 덕목이란, 개인의 품성에 체화된 바람직한 성향과 태도를 일컫는데, 단지 개인의 품성에 그치는 문제만은 아닙니다. 덕목은 우리가 몸담고 살아가는 공동체의 유지, 지속, 발전을 밑바탕으로 하고 있습니다. 그렇기에 교사와 학생, 학생과 학부모, 학부모와 교사의 세 관계가 긴밀하게 연결될수록 덕목 교육의 효과는 커집니다.이 세 관계에서 어느 하나라도 소홀해진다면 그 힘듦은 아이의 몫으로 남게 됩니다. 저 역시 학교 교육 공동체의 일원으로써 학생의 성장을 위해 따뜻한 관계를 쌓아가려 합니다. 학부모님께서도 교육 공동체의 일원으로써 교사와 학생의 관계를 응원해주시고, 교사와 학부모의 관계를 쌓아가려 노력해주셨으면 합니다. 만일 신뢰가 흔들릴 만한 문제 상황이 생겼을 때, 자녀 분의 말이나 주변 친구들이 전하는 말만 듣고 판단하지 마시고 담임 교사인 저와 직접 소통해주시면 정말 감사하겠습니다. 저도 학부모님들께서 오해가 생기지 않도록 믿음을 드리는 교사가 되겠습니다."

"제 교실의 급훈은

'따뜻한 마음으로 대화하는

어린이'입니다."

인간의 성장을 목표로 하는 미래학교

B

당신은 이 글의 저자인 동시에 독자입니다. 저자인 나와 독자인 나는 만날 때마다 새로운 이야기를 만들어 갑니다. 지금 이 글을 읽는 당신의 생각을 여기에 더해보세요. 그것은 내 손을 떠난 글에 새로운 생명과 생기를 불어넣는 일입니다.

인간의 성장을 목표로 하는 미래학교

B

교사인 나를 둘러싼 환경은
어떠한가요?

우리 사회와 교육이 가지길 바라는
모습을, 나의 차원에서 실현하기에
주변 환경이 어떠한지 살펴봅니다.
자신의 교육철학을 이루기에
도움이 되는 환경과 제약이 되는
환경을 짚어봅니다.

위험을 피하고자 노력하는
어른들,
그 속에서 사그러드는
아이들

대화한 날_ 2023. 11. 8.

완성한 날_ 2023. 12. 4.

위험을 피하고자 노력하는 어른들,
그 속에서 사그러드는 아이들.

7년 만에 돌아왔더니 학교에서 사라진 것들이 많았다. 학교 전체가 참여하는 학예회도 운동회도 사라져있었다. 수업에 대하여 이야기하는 분위기도 심지어 수업 장학도 사라져 있었다. 더욱 속상했던 것은 서로에 대한 신뢰가 사라져 있었다.

안전주의를 주장하는 학부모

2017년대에 대한민국을 떠들썩하게 만든 사건이 있다. <인천 동춘동 초등학생 유괴 살인사건>으로 불리는 이 사건은 내용이 너무나도 충격적이어서 사회적으로도 큰 반향을 일으켰다. 이 사건 이후로 가장 우려되었던 점이 이웃의 관심을 '범죄 예비 동작'으로 의심하는 불신의 전염 속도가 걷잡을 수 없이 빨라졌다는 것이다. 50대 남성이 "귀엽다"며 아이의 머리를 쓰다듬다 아이를 해치는 줄 알고 버럭 화내는 부모와 말다툼을 벌이는 일도 일어났으며, 초등학생 남매를 둔 한 엄마는 "키즈폰을 사주고 시간 단위로 위치 추적을 한다. 아이들 뒤만 밟는 '그림자 인생'이 됐다"고 인터뷰에서 밝히기도 했다. 실제로도 2017년 키즈폰 가입자수는 17만 6천명으로, 전년 대비 13.7% 증가했다. 문제는 이 사건이 안전주의를 교육 현장에 뿌리깊게 박아놓았다는 것이다. 이로 인해 부모들은 아이들 주변의 모든 상황을 의심하고, 위험이 조금도 없는 상황을 추구하게 만들었다. 놀이터에서의 부상, 학교에서의 갈등, 심

위험을 피하고자 노력하는 어른들,
그 속에서 사그러드는 아이들.

지어 이웃 사이에서 벌어지는 일상 소동까지도 모든 것을 예방하려는 노력들이 생기기 시작했다. 아이들을 주변 환경의 각종 위험 요소나 교통사고로부터 시키기 위해 펼쳐온 그간의 노력들이 아이들에게 무척 유익했다는 것은 인정한다. 하지만 아이들에게 어떤 '경험'까지, 예를 들면 학교까지 걸어간다거나 날이 예리한 가위를 써보게 하는 것까지 못하게 해서 각종 위험으로부터 보호하는 것은 또 다른 문제이다. 그런 식으로 아이들을 보호하면, 기술, 독립성, 위험인지능력 같은 자질을 익힐 기회를 잃어버린다는 점에서 손실이 발생한다. "주변의 모든 것이 다 위험하다"는 이 관점의 문제는, 부모의 과잉보호 그 자체가 위험인 데다 아이들을 보호없이는 살 수 없는 유약한 존재로 만드는 데에 있다.

내 아이의 모든 주변을 안전하게 만들고 싶다는 학부모의 강력한 욕구를 만난 적이 있다. 1학기에 있었던 일이다. 학급의 1인1역을 의무감과 책임감으로 채우고 싶지 않았다. 각자가 반에서 자신의 존재감을 드러낼 수 있는 방법으로 자신의 역할을 스스로 찾기를 바랬다. 조용한 것을 선호하는 H는 그렇게 소리요정이 되었다. 아이들이 역시 소리요정은 H라는 말을 할 정도였으니 H의 존재감은 소리요정으로써 드러낼 수 있었다. 난 그 역할을 찾아낼 수 있음이 자랑스러웠다. 어느 날, 뜬금없이 H의 엄마가 전화하셔서는 소리요정은 이제 그만 시켜달라는 요청을 하셨다. H가 싫다고 이야기하고 안 하면 그만인 것인데, 왜 어머니께서 말씀하시는지 영문을 몰랐다. 알고보니 H의 엄마 본인이 초등교사인데, 자신의 경험 상 조용히 하라고 말하는 역할이 다른 친구들의 미움을 사니 아이가 미움받을 것이 두렵다고 본인이 지레짐작 염려하고 빼달라는 것이었다. 애초에 친구들은 H를 미워하지도 않았지만, 그렇게 H는 자신의 힘으로 친구와의 오해를 풀 기회를 잃어버렸다.

보신주의를 지향하는 관료제 학교

최근 교육 현장에서 눈에 띄게 늘어나고 있는 현상 중 하나는 학부모들 중에서도 자기 아이의 극단적인 안전을 주장하는 그룹이 늘어나고 있다는 것이다. 이러한 부모들은

위험을 피하고자 노력하는 어른들,
그 속에서 사그러드는 아이들.

'괴물 부모(monster parents)'라고 부른다. '괴물 부모(monster parents)' 단어는 원래 2007년 일본 교육자 무카이야마 요이치가 만든 단어이다. 자녀의 성공을 위해 지나치게 간섭하거나, 교권을 침해하는 부모들을 '괴물 부모'라고 칭한다. 괴물 부모의 탄생은 전세계적인 추세인가보다. 괴물 부모들은 자신의 자녀의 안전을 최우선으로 여기며, 교육 현장에서 발생할 수 있는 어떠한 위험도 허용하지 않는 태도를 취하고 있다. 이러한 안전 주장은 때로는 교사들에게 교육 과정에서 발생할 수 있는 불확실성과 위험을 다루기 어렵게 만들어 가고 있다.

당장 올해 현장체험학습에서부터 문제가 생겼다. 2023년 10월, 법제처가 도로교통법 제2조 제23호 등을 근거로, 초등학교 현장체험학습에 전세버스 대신 어린이 통학버스만을 사용해야 한다는 유권해석을 내렸다. 이 유권해석은 어린이 통학버스가 전세버스보다 안전성이 높다는 판단에 따라 내려진 것으로, 초등학교 현장체험학습의 안전을 강화하기 위한 조치로 받아들여졌다. 그러나 초등학교 수에

비하여 턱없이 부족한 어린이 통학버스로 인해 부장님과 교장선생님은 혼란에 빠지셨다. 현장체험학습을 취소해야 하는 것인가, 불법이나 단속 유예 조치가 내려졌으니 그것을 근거로 전세버스를 이용해야 할 것인가. 만약 사고가 난다면 누가 책임을 져야 할 것인가에 대한 의문점을 남기고 우리는 현장체험학습을 강행하였다. 노란버스 사태는 초등학교 현장에서 안전을 위한 과도한 규제가 오히려 혼란을 야기할 수 있다는 점을 보여주는 사례라고 생각한다. 또한, 부모들의 안전에 대한 과도한 우려가 자녀의 교육 기회를 제한할 수 있다는 점도 시사하는 바가 있다.

더욱이 어떤 학부모가 괴물 부모일지 모르는 불확실성은 교사들의 불안을 더욱 부추키고 있다. 이로 인해 교사들은 자신의 행동과 의사결정에 있어서 교육적 가르침보다는 서비스 업체같은 태도로 행동하게 되고 있다. 특히 동료 교사들은 이러한 변화를 보며 보수적인 입장에서 나아가 보신주의를 주장하고 있다. 뭐, 아무것도 하지 말자는 옆 반 선생님의 말에 어느 정도 수긍이 가는 면도 있다.

위험을 피하고자 노력하는 어른들,
그 속에서 사그러드는 아이들.

2학기에 H의 엄마가 또 나의 속을 긁어 놓았다. 아이들이 서로를 많이 알게 된 상황에서 각자의 특색을 넣어 반가를 부르기로 계획했다. H의 특색은 두말할 것도 없이 소리요정있었다. 아이들은 탁월한 능력을 가졌고, 어느 순간 은퇴해버린 요정이니 여신이라고 부르자고 했다. (H엄마의 부탁으로 인한 은퇴라고는 하나 학급의 소리가 시끄러워지면 H는 수신호를 보냈고, 같은 모둠의 친구들이 함께 수신호를 하며 H를 도와주었다.) 자랑스러운 마음으로 아이들의 반가 목소리를 class123에 올린 그 날 저녁이었다. 뜬금없이 여신을 요정으로 수정해달라는 H 엄마의 요구였다. H의 엄마는 '여신'은 종교적 중립성에 위배되는 단어이니 여신에서 요정으로 바꿔달라는 말이었다. 종교가 없는 나로써는 요정이나 여신이나 같은 뉘앙스의 단어이기에 이게 무슨 해괴망측한 소리인가 싶었다. 게다가 자신은 H의 '엄마'이니 교사인 내가 '엄마'인 당신의 요구를 당연히 들어줘야 한다고 생각하고 있었다. 옆에서 끙끙 거리는 나를 바라보며 신랑이 외쳤다. "야, 그냥 아무것도 하지마."

뿔뿔이 흩어지는 교육 공동체

결국 나는 안전주의를 주장하는 학부모이자 보신주의를 이야기하는 교사가 되어버린 상황이다. 위험을 극단적으로 피하고자 하는 이 분위기는 도대체 어디서부터 시작된 것일까. 나는 이 분위기를 이기고 새로운 존재로 거듭날 수 있을까. 궁금한 마음에 AI에게 물어보았다. 한 학급에서 자신의 아이만 중요하다고 생각하는 학부모와 자신의 이익이나 안전을 보호하기 위해 학생의 교육이나 성장을 소홀히 하는 교사가 만나면 어떤 일이 벌어질까?라고 질문했다. 그리고 AI가 내놓은 답은 현재의 학교 상황을 묘사하는 듯했다. 서글펐다.

> **불평등과 갈등의 증가:**
> - 괴물 부모의 요구에 따라 교사가 해당 아이를 특별 대우하면, 다른 학생들과의 불평등이 발생할 가능성이 있습니다. 다른 학부모들은 자신의 아이들이 동등한 교육을 받지 못하는 것에 대한 불만을 품을 수 있으며, 이는 학급 내 갈등을 증가시킬 수 있습니다.

위험을 피하고자 노력하는 어른들,
그 속에서 사그러드는 아이들.

학급 분위기의 저하:

- 특정 아이에 대한 특별 대우로 인해 학급 분위기가 저하될 수 있습니다. 학생들 간의 협력과 팀워크가 부족해지면서, 전반적인 학습 환경에 부정적인 영향을 미칠 수 있습니다.

교사의 역할 상실감:

- 교사가 안전을 위해 아무것도 하지 않고 괴물 부모의 요구에 따르면, 교사는 교육의 핵심 가치를 실천하지 않고 역할을 상실한 것으로 여겨질 수 있습니다. 이는 교사의 전문성과 교육 목표에 대한 신뢰를 저하시킬 수 있습니다.

학습 환경의 약화:

- 특정 아이에게만 주어지는 특별 대우로 인해 학급 전체의 학습 환경이 약화될 수 있습니다. 교사의 무관심은 학생들의 학습에 부정적인 영향을 미칠 것이며, 이는 학업 성취도 감소시킬 수 있습니다.

학부모와 교사 간 갈등 증가:

- 괴물 부모의 특별한 요구와 교사의 무관심으로 인해 학부모와 교사 간의 갈등이 증가할 수 있습니다. 이는 학생 중심의 교육을 위해 협력이 필요한 상황에서 부정적인 분위기를 초래할 것입니다.

전체 교육 시스템에 대한 불신:

- 학부모들이 교사의 무관심과 특별 대우에 대해 불만을 품으면, 전체 교육 시스템에 대한 불신이 증가할 수 있습니다. 이는 교육 기관의 평판을 손상시킬 수 있습니다.

더 커다란 공동체의 원을 그리자

사회심리학의 기본 원칙은 사람들을 갈가리 갈라 놓고 그들 사이의 차이점을 더 부각시키면, 사람들 사이의 분열은 더 심해지고 서로에 대한 신뢰도 엷어진다는 것이다. 반대로 사람들 사이에 공동의 목표나 이익, 하나된 운명, 보편적 인간성을 더 강조할수록, 사람들은 서로를 자신과 같은 인간으로 바라보게 되고, 더 배려하게 되며, 공동체

위험을 피하고자 노력하는 어른들,
그 속에서 사그러드는 아이들.

를 위해 다들 서로 애쓰고 있다는 사실에 감사를 느끼게 된다. 파울리 머리는 "내 형제들이 날 따돌리려 자신들만 들어가는 원을 그리면, 나는 더 커다란 원을 그려 그들을 감싸 안을 것이다"라며 이런 원칙이 가진 힘을 표현했다.

안전주의를 주장하는 학부모와 보신주의를 이야기하는 교사 모두를 아우르는 공동의 목표는 결국 '아이의 성장'이다. 어른의 입장 차이로 인해 아이들의 성장이 가로막히면 안된다는 이야기에는 모두가 동의할 것이다. 이제는 어른들이 대화의 장에 나설 차례이다.

"이제는 어른들이 대화의 장에
나설 차례이다."

위험을 피하고자 노력하는 어른들,
그 속에서 사그러드는 아이들.

B

당신은 이 글의 저자인 동시에 독자입니다. 저자인 나와 독자인 나는 만날 때마다 새로운 이야기를 만들어 갑니다. 지금 이 글을 읽는 당신의 생각을 여기에 더해보세요. 그것은 내 손을 떠난 글에 새로운 생명과 생기를 불어넣는 일입니다.

위험을 피하고자 노력하는 어른들,
그 속에서 사그러드는 아이들.

B

교사로서 우리의 이야기를
어떻게 써 내려갈까요?

우리를 둘러싼 환경을
고려하였을 때, 자신의 교육철학을
실현하기 위해 집중할 일 혹은
해결할 문제를 찾아봅니다.

다정한 가르침이 맞았다

대화한 날_ 2023. 11. 15.

완성한 날_ 2023. 12. 3.

다정한 가르침이 맞았다

커다란 공동체의 원을 그리는 선배교사들

교직 사회에서 더 커다란 공동체의 원을 그려가는 이들을 떠올려 본다. 초임 교사 때, 스카우트 야영을 하는 선생님들을 위해 혼자서 20인분의 음식을 해내던 K선생님이 떠오른다. 마더 테레사를 패러디해서 마더 K이라는 별명이 있으셨다. 엄청난 유머 감각과 일 처리 능력으로 학교의 한 축을 담당하셨던 N선생님도 계셨다. 최근에는 수업 페스티벌에서 뵌 Y선생님이 기억에 남는다. AI라는 혁신의 소재를 이용해서 공개 수업을 하셨다. 에듀테크라는 혁신의 기술이 모두가 참여할 수 있는 기회를 주었기 때문일까. 학급의 분위기는 평화롭고 지식에 대한 열정으로 가득 차 있었다. 너무나도 부러웠기에 용감하게 질문했다. "어떻게 동료를 얻으셨나요?" 이 수업은 혼자만의 힘으로 얻어진 것이 아닐 것이라고 생각했기 때문이다. 교실에는 인터넷 기기는 물론이고 구글ID와 MS의 ID까지 학생들의 개인 책상에 붙어 있었다. 분명 이 모든 것을 지원해주는 팀이 있을 것이라고 확신했다. 하지만 되돌아 온 교장선생님의 답변은 나를 벙 찌게 만들었다. "아니, 저이가 다했어." Y선생님께서는 탁월한 능력과 따뜻한 마음으로 선각자의 위치에서 모두를 이끌고 계셨던 것이다. 수업을 이야기하는 분위기를 만들려면 한 명의 선각자가 있어야 하는 것인가. 가정이 있는 나로써는 그 선각자가 희생자로 느껴졌다. 다시 한 번 혼란에 빠졌다.

다정한 가르침이 맞았다

다정함의 영향

최근 읽은 <다정한 것이 살아남는다>라는 과.학.책은 매우 흥미로운 내용을 담고 있었다. 책에서는 인간이 냉혹한 강인함으로만 살아남은 것이 아니라 오히려 다정함과 친화력으로 인해 살아남았다는 주장을 하고 있다. 특히, 가족, 친구, 그리고 소속된 집단에 대한 편협한 다정함이 더 큰 집단으로의 보편적 공감으로 확장될 수 있는 가능성에 대해 논의하고 있었다. 저자가 제안하는 중요한 아이디어 중 하나는 집단 간 갈등을 줄일 수 있는 효과적인 방법은 '접촉'이라는 것이다. 단 한 번의 무해한 대화나 긍정적인 상상력만으로도 접촉을 형성할 수 있다는 것이 인상적이었다. 그러면서 든 예시로 해리엇 비처 스토의 소설 <톰 아저씨의 오두막>에서 노예제 폐지 운동이 어떻게 전환점이 되었는지를 생각해보라는 부분은 내 마음을 두드렸다.

교사로서, 책을 통해 얻은 지식은 나에게 큰 위로와 안도감을 주었다. 특히, 교사로서의 다정한 말과 행동이 과학적으로 학부모들의 긍정적인 이미지 형성과 학교 공동체의 긍정적인 영향에 기여한다는 사실은 나에게 큰 확신을 주었다. 이러한 인사이트를 바탕으로, 학교 환경에서 만들어지는 다정한 소통이 어떻게 큰 파급 효과를 가져올 수 있는지 더 깊이 생각하게 되었다.

나는 무엇을 할 수 있고, 무엇을 해야 할까.

나는 선각자가 아닌 소시민에 불과하다고 생각한다. 아직은 편협한 다정함으로 가득 찬 소시민이지만, 나의 편협한 사랑과 다정함이 자연스러운 섭리의 결과임을 깨달았다. 더불어 이제는 어떠한 삶을 살 것인지 선택할 수 있다는 사실도 알게 되었다. 나는 다정한 사람이 되고 싶다. 다정한 사람이 되어 학교에 작은 변화가 생기고, 그 작은 변화가 모여 큰 변화를 이끌어낼 수 있을 것이라 믿는다. 밑에는 내가 도전한 작은 변화의 시작글이다.

> 안녕하세요. 추운 겨울날 처음 뵈었는데 또다시 함께 겨울을 맞게 되었네요. 일련의 사건들로 인하여 저는 요즘 따뜻한 교육 공동체에 대한 고민을 하고 있습니다. 돌아

가신 분들에게도 필요했었고, 현재 우리에게도 필요한 그 공동체 말입니다. 그리고 우리의 공동체를 지키는 방법은 우리가 가르치는 아이들에게 그 공동체의 중요성을 느끼게 해주는 것이 아닐까...라는 생각이 듭니다.

그래서 1학년에서는 '수업'을 통하여 '따뜻한 학교 공동체를 만들기'를 도전해보려 합니다. 현재 1학년 수업에서는 학교의 이웃들과 다정한 말하기를 배우고 있습니다. 11월28일 화요일 아침 시간, 학생들은 학교에 계시는 모든 선생님들께 작은 선물과 편지를 드리면서 얼마나 감사하고 좋아하는지 말씀드릴 거예요. 1학년 꼬마들이 성심성의껏 준비한 선물과 편지를 받으시면, 동료 선생님들께서는 따뜻하고 격려하는 말씀을 해주셨으면 합니다. 선생님들의 다정함을 받은 이 꼬마들이 내년에도 내후년에도 이 다정한 공동체를 유지하기 위해 더 노력하지 않을까요? 교사인 제가 할 수 있는 영향력을 이렇게 써보려고 합니다. 좋은 선생님으로 다정한 동료로 옆에 있어 주셔서 언제나 감사합니다.

P.S. 귤을 협찬해주신 교감선생님께 깊은 감사의 말씀드립니다. 덕분에 좋은 수업을 구상할 수 있었습니다. 교감선생님 지인분의 다정함이 1학년 아이들의 다정함으로 확장되었습니다. 두 분께 정말 감사드립니다.

"인간은 냉혹한 강인함으로만
살아남은 것이 아니라
오히려 다정함과 친화력으로 인해
살아남았다."

다정한 가르침이 맞았다

B

당신은 이 글의 저자인 동시에 독자입니다. 저자인 나와 독자인 나는 만날 때마다 새로운 이야기를 만들어 갑니다. 지금 이 글을 읽는 당신의 생각을 여기에 더해보세요. 그것은 내 손을 떠난 글에 새로운 생명과 생기를 불어넣는 일입니다.

다정한 가르침이 맞았다

교사행위자성에 관한 개인적 탐색

저자_ 밀키웨이
발행_ 2023. 12. 25.

펴낸이_ 이상수
펴낸곳_ beside books
출판사등록_ 제561-2022-000043호(2022. 5. 17.)
주소_ 경기도 수원시 영통구 영통로200번길 21
전화_ 010-2853-2423
인스타그램_ instagram.com/beside.books
편집 / 디자인_ 서현지 이경준 정휘범

ISBN_ 979-11-92865-23-2